Ce livre app

Nom :

_____

Adresse :

_____

_____

Offert par :

_____

le _____ 201...

martine

petit rat
de l'opéra

d'après les albums de Gilbert Delahaye et Marcel Marlier

Cette année, Martine est
entrée à l'école de danse.

Les premières leçons
ne sont pas faciles du tout.

Elle s'exerce à bien
se tenir sur une jambe
en posant la main
sur la barre.
Comme elle est
gracieuse !
— Tourne la jambe en
dehors, Martine.
Arrondis le bras.
Comme ceci, regarde…

Voilà, c'est presque parfait.

Vingt fois, Mademoiselle
Irène explique aux élèves

comment ouvrir le pied
vers l'extérieur et lever
les bras sans se raidir,
avec une aisance naturelle.

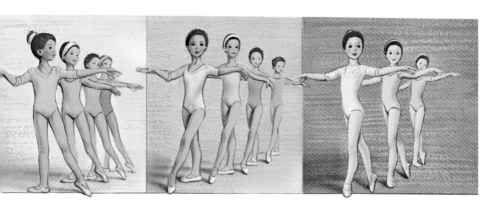

Un petit rat doit exécuter correctement les cinq positions de base, en pliant les jambes avec souplesse.

Avant de devenir
une excellente élève,
Martine a dû répéter
et répéter encore, le mieux
possible, et sans perdre
l'équilibre !

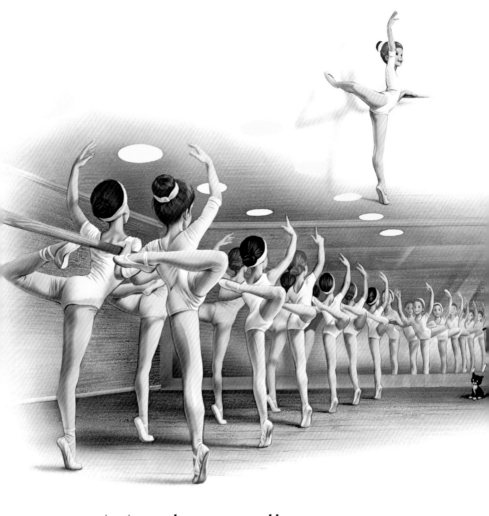

— Mesdemoiselles,

recommençons.

Regardez-vous dans le miroir,

et suivez bien la mesure !

Une, deux, trois,

quatre…

Ensemble,

s'il vous plaît.

Minouche, le petit chat

de la maîtresse, est assis

juste à côté du piano.

Il observe tout et connaît chaque figure par cœur : les arabesques, les pirouettes et... les entrechats.

Mais quand il essaye
d'imiter les danseuses,
il ressemble plus
à un clown
qu'à un petit rat !

Une parfaite danseuse
ne doit pas seulement
effectuer des enchaînements
difficiles, elle doit aussi
apprendre à se déplacer
avec grâce.

Il faut être souple comme
le chat, agile comme
l'écureuil et élégante
comme le cygne.

Mais Martine a parfois mal
aux jambes et aux pieds,

à cause des exercices et
des chaussons de danse.

— Pourtant, il est indispensable
de t'exercer, si tu veux
devenir une première étoile,
dit Mademoiselle Irène.

— Qu'est-ce qu'une
première étoile ?
se demande
Patapouf.

Une première étoile,
c'est la meilleure de toutes
les danseuses du ballet.

Avant d'arriver à son niveau,
il faut maîtriser la technique
des pointes.
Pour cela, quelques années
d'expérience sont nécessaires !

Martine aimerait devenir un
jour cette danseuse vedette
que tout le monde félicite,

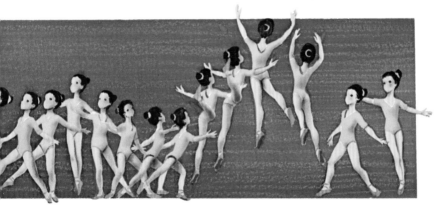

et dont le nom figure en
grand sur les affiches.

Perdue dans ses pensées,
elle imagine qu'elle devient
aussi légère qu'une plume
emportée par le vent.
Sans peine, elle fait des

glissades et des entrechats
sublimes. Elle s'élance et
s'envole dans une cascade
de battements de jambes
et de grands jetés.

Martine en est convaincue,
un jour, elle dansera
le ballet de Cendrillon
à la perfection, sur la scène
du grand théâtre.
Tous ses amis seront
présents pour admirer
sa merveilleuse prestation.

Aux douze coups de minuit,

le prince la soulèvera

dans les airs sous

les applaudissements

du public.

C'est le plus grand rêve
de Martine.
Et si elle continue
à s'entraîner,
il deviendra réalité !

http://www.casterman.com
D'après les personnages créés par Gilbert Delahaye et Marcel Marlier / Léaucour Création.
Achevé d'imprimer en juin 2014, en Chine. Dépôt légal : mai 2009 ; D. 2009/0053/283.
Déposé au ministère de la Justice, Paris (loi n° 49.956 du 16 juillet 1949
sur les publications destinées à la jeunesse).
ISBN 978-2-203-02220-1
N° d'édition : L.10EJCN000188.C009